Cri

Haciendo Camino

Ilustraciones de **Giovanni Lombardi**

Escucha el audio desde tu teléfono móvil

1 Descarga la aplicación **DeALink**

2 Utiliza la aplicación para encuadrar la página

3 Escucha el audio

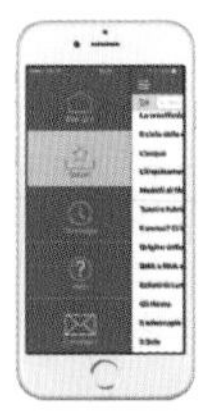

Redacción: Massimo Sottini
Revisión: Maria Grazia Donati
Diseño: Sara Fabbri, Silvia Bassi
Maquetación: Annalisa Possenti
Búsqueda iconográfica: Alice Graziotin

Dirección de arte: Nadia Maestri

Primera edición: enero de 2018

The design, production and distribution of educational materials for the CIDEB brand are managed in compliance with the rules of Quality Management System which fulfils the requirements of the standard ISO 9001 (Rina Cert. No. 24298/02/S - IQNet Reg. No. IT-80096)

Créditos fotográficos:
Shutterstock; iStockphoto; blickwinkel/Alamy Stock Photo: 23; Akg-images/Joseph Martin/MONDADORI PORTFOLIO: 33; Museo Lazaro Galdiano, Madrid, Spain/ Bridgeman Images: ; 34; Marc Hill/Alamy Stock Photo: 62, 64; De Agostini Picture Library: 65(1).

Para cualquier sugerencia o información se puede establecer contacto con la siguiente dirección:

info@blackcat-cideb.com
blackcat-cideb.com

ISBN 978-88-530-1730-7 Libro + CD

Impreso en Italia, por Litoprint, Génova.

Índice

DELE Este icono señala las actividades de tipo DELE.

EL TEXTO ESTÁ GRABADO EN SU TOTALIDAD.
El símbolo con el número de pista indica una pista presente en el CD audio incluido. El símbolo mp3 indica una pista descargable de nuestra página web, blackcat-cideb.com.

La catedral de Santiago.

Santiago de Compostela y el Camino

Santiago de Compostela es una ciudad símbolo de las peregrinaciones religiosas, pero es también meta cultural, universitaria y gastronómica. Dentro del conjunto histórico, sus estrechas callejuelas y plazas, como la del Obradoiro, nos llevan hasta la catedral y el Pórtico de la Gloria; desde las cubiertas de la catedral se puede observar gran parte del casco viejo, la parte nueva de la ciudad y sus alrededores.
Tiene decenas de iglesias, conventos y palacios de arte románico, gótico y barroco pero también tiendas, bares, restaurantes. Hoy en día, la ciudad acoge con los brazos abiertos a todos los caminantes del mundo y, por ello, desde 1985 es Patrimonio de la Humanidad y en 2004 recibe el premio Príncipe de Asturias de la Concordia.

Pero Santiago de Compostela surge en los primeros años del siglo IX, cuando el obispo de Iria Flavia, Teodomiro, por indicación del eremita Pelagio, reconoce como verdadera la tumba del apóstol Santiago. El ermitaño ve durante la noche unas estrellas que le indican el lugar: de ahí *Campus stellae*, que da nombre a la ciudad. Unos años más tarde, el rey asturiano Alfonso II reconoce la existencia de la tumba y declara al apóstol Santo Patrón del Reino, mandando construir la primera iglesia de Santiago. En un momento en el que se pretende frenar la expansión musulmana, el lugar se convierte en un centro de culto y, a partir de ese momento, una multitud de personas se dirige a Santiago para venerar al santo. Entre los siglos XII y XIII los peregrinos son casi medio millón al año.

Entonces se implanta una red de servicios —iglesias, hospitales, albergues y hospederías, que ahora constituyen un patrimonio cultural de inestimable valor— y, desde el punto de vista político, Santiago se convierte en el símbolo que da fuerza a la cristiandad para seguir con la Reconquista.

Pero no hay que olvidar que el camino existe ya desde antes del siglo IX, a partir del camino de la via láctea, que en la antigüedad guiaba a

todos los que se desplazaban hacia Finisterre siguiendo la ruta del sol; la misma ruta en la que los romanos construían sus calzadas.

A finales del siglo XIV, con la aparición de la terrible epidemia llamada «peste negra», y durante el XV, cuando termina la Reconquista, las peregrinaciones empiezan a disminuir también a causa de la difusión del protestantismo. En 1558, el arzobispo San Clemente ordena esconder el sepulcro de Santiago por miedo a los ataques de los piratas ingleses, y las reliquias se pierden durante tres siglos. El nuevo hallazgo resucita el interés, pero no es hasta la segunda mitad del siglo XX cuando inicia la segunda Edad de Oro del Camino, con las asociaciones de «Amigos del Camino de Santiago». El Camino se pone de moda, y todos los hombres y mujeres que acuden cada año a Compostela nos recuerdan que la leyenda sigue viva.

Comprensión lectora

1 Marca con una ✗ si las siguientes afirmaciones son verdaderas (V) o falsas (F) y, en tu cuaderno, corrige las falsas.

		V	F
1	En Santiago hay muchos palacios de arte románico.	☐	☐
2	En la ciudad hay muchos parques y paseos.	☐	☐
3	Alfonso II piensa que la tumba del apóstol Santiago es falsa.	☐	☐
4	La Reconquista no está relacionada con el Camino.	☐	☐
5	El Camino aprovecha parte de las calzadas romanas existentes.	☐	☐
6	En la segunda mitad el siglo XX empieza la segunda Edad de Oro del Camino.	☐	☐

2 Busca en el texto un sinónimo de las siguientes palabras.

pequeñas ve empieza realizar
forman recorrido van

Personajes

De izquierda a derecha y de arriba abajo:
Sofía, Isabel, Miguel, Javier, Carolina, Miriam, Daniel

Antes de leer

1 A lo largo del capítulo aparecen estas palabras. Relaciona los nombres con las fotos.

a barrio
b instituto
c mochila
d magdalenas
e sudadera
f patio

Rincón de cultura

El sistema educativo español

En el sistema escolar español se distinguen **cinco tipos de enseñanza** gratuita:

- la infantil (de 0 a 6 años), que es voluntaria;
- la primaria (de 6 a 12);
- la educación secundaria obligatoria (ESO), de 12 a 16 años;
- el bachillerato (de 16 a 18 años), que es voluntario y puede ser de Artes, de Ciencias y Tecnología, de Humanidades o de Ciencias sociales;
- la formación profesional (de 16 a 18 años), que puede ser en hostelería, turismo, comercio y marketing, administración y gestión, artes plásticas y diseño, etc.

CAPÍTULO 1

El principio del viaje

Es el último día de clase y Sofía no tiene ganas de levantarse, no quiere enfrentarse a este día de despedidas. Todos van a hablar de qué van a hacer este verano.

Como tarda en salir de la cama, su madre Isabel no tiene más remedio[1] que ir a su habitación para despertarla:

Isabel abre la puerta de la habitación y la chica esconde su cabeza bajo la almohada.

—Pero Sofía... ¡que son ya las siete y cuarto! ¿Quieres levantarte de una vez?— grita Isabel.

—No tengo ningunas ganas de ir a clase hoy. Total, hoy no hacemos nada.

La madre respira profundamente y se acerca a la cama de su hija:

—¿Qué pasa, Sofía? ¿El último día de clase no es el más divertido?

---

1. **no tener más remedio**: no tener otra solución o salida que la de hacer algo.

CAPÍTULO 1

—Es el día en que todos cuentan qué hacen estas vacaciones y yo, ¿qué cuento? Que me voy con el grupo del *esplai* a hacer el Camino de Santiago. Qué tontería.

—Eres la única del grupo que cada año dice que no va a hacer el Camino. Tú nunca quieres ser como los demás y siempre te dejo hacer lo que deseas, pero este año las cosas son diferentes.

—¿Por qué? ¿Es porque papá ya no está con nosotras? ¿Crees que hacer el Camino va a cambiar algo?

—Solo pienso —le dice su madre— que puede ayudarte a superar este momento y no me importa si te enfadas conmigo, voy a obligarte a hacerlo. Son solo siete días.

Isabel sale de la habitación, y mientras cierra la puerta oye el grito de rabia de Sofía.

—¿Por qué no te vas tú a hacer el Camino si tanto te gusta?

Al final Sofía se levanta, se lava, se viste y cuando llega a la cocina la encuentra vacía. Isabel sale siempre antes para ir al trabajo. La chica se toma un vaso de leche con cacao y se come una de las dos magdalenas que su madre, como todos los días, le deja en un plato encima de la mesa.

Cuando Sofía llega al instituto, todos están muy contentos, porque este va a ser un día de fiesta. Los de segundo de ESO pueden pasar la mañana en el patio. Sofía se acerca a un grupo de chicas de su clase que están sentadas debajo de los árboles.

—¿Vosotras no jugáis a nada?— les pregunta.

—No. Estamos charlando aquí a la sombra. ¿Te sientas con nosotras? —le dice Ester, una compañera de clase.

Sofía se sienta, pero en el grupo de chicas está Miriam, una compañera a la que Sofía no soporta, porque piensa que es una chica aburrida.

—¿Este verano qué haces Sofía? — le pregunta Ester.

—Vaya, esta es la pregunta del día —responde Sofía malhumorada—. Pues no te lo vas a creer, pero me voy con el *esplai* de mi barrio a hacer el Camino de Santiago. ¡Qué estupidez! Pero mi madre me obliga y si no voy me deja encerrada en casa durante todo el verano. ¡Todo el verano en un piso en Barcelona!

—¡Pero si seguro que es súper hacer algo así! —comenta la chica—. Yo oigo siempre que la gente lo pasa muy bien.

—¡Vaya, otra fan del Camino! ¿Pero por qué no os apuntáis todas? —bromea Sofía.

—Yo sí me apunto —responde Miriam—, yo también voy al Camino con el *esplai* del barrio.

Después de oír la noticia, Sofía se levanta y se aleja de las chicas sin decir una palabra.

Cuando llega a casa, Isabel, la madre de Sofía, se presenta con una mochila.

—¡Mira, Sofía! Chula,[2] ¿verdad? Me la ha prestado una compañera de la oficina; su hijo Javier hace este año su cuarto Camino y, como tiene más de una mochila, te presta esta. ¿Qué te parece? —pregunta.

—Pues bien. Es una mochila —responde Sofía—. ¿Cuántas cosas se pueden decir de una mochila? ¿Y ese Javier también viene con nuestro grupo? —pregunta Sofía.

—Creo que sí, pero tiene dos años más que tú y no le conoces —responde Isabel.

—¿Es que todo el mundo que no conozco o no soporto va a hacer el dichoso[3] Camino?

—¡Ya vale Sofía! —grita la madre—. Ahora coges la mochila y te

---

2. **chula**: que es bonita y vistosa.
3. **dichoso**: en este contexto e irónicamnente, que algo te cansa, que no te gusta.

vas a tu habitación y empiezas a preparar las cosas que te sirven. Aquí tienes la lista de los monitores.[4]

Sofía se va a su habitación y la cierra con un portazo,[5] pero coge la lista.

—A ver qué pone... "seis camisetas de manga corta y dos de manga larga; dos sudaderas y una chaqueta impermeable de verano; seis pares de calcetines de algodón gordos y cambio de ropa íntima para pasar diez días; dos pares de pantalones largos tipo chándal y cuatro pares de pantalones de senderismo[6] cortos..." ¿de senderismo? —se sorprende—. Yo pongo los pantalones cortos que tengo en el armario. Luego... "unas botas de montaña, unas zapatillas de deporte y un par de chanclas de goma para la ducha; una toalla de baño y una de lavabo finas..." y, para terminar "una linterna, lo necesario para el aseo pero teniendo en cuenta que vamos a hacer el Camino y no a un desfile de moda". ¡Qué graciosos! —dice irónicamente Sofía.

4. **monitor**: persona que dirige o guía a otras personas en la realización de una actividad.
5. **portazo**: golpe fuerte dado por una puerta al cerrarse o al ser cerrada violentamente.
6. **senderismo**: excursionismo a pie, es decir, caminatas que se realizan principalmente por senderos y caminos normalmente de montaña.

Después de leer

Comprensión lectora

1 Marca con una ✗ si las afirmaciones son verdaderas (V) o falsas (F).

		V	F
1	Isabel va a la habitación de su hija Sofía para llevarle el desayuno.	☐	☐
2	Sofía no quiere ir a la escuela porque hoy es el último día.	☐	☐
3	Isabel tiene planes para el verano de Sofía.	☐	☐
4	A Sofía el Camino le parece una tontería.	☐	☐
5	En el instituto todos están contentos porque es el último día de clase.	☐	☐
6	Sofía está contenta porque Miriam hace el Camino.	☐	☐

Comprensión auditiva

pista 03

2 Escucha las siguientes frases del capítulo 1 y, en la tabla, sustituye las palabras en negrita por las del texto.

1 Isabel abre la puerta del **cuarto** y Sofía esconde la cabeza debajo del **cojín**.

2 Tú nunca quieres ser como los **otros** y siempre te dejo hacer lo que **quieres**, pero este año las cosas son diferentes.

3 Isabel se va siempre antes para ir a la **oficina**.

4 Pero mi madre me obliga y si no voy me deja encerrada en el **piso** todo el verano.

5 Creo que sí, pero tiene dos años más que tú y no **sabes quién es**.

Sinónimos	Palabras del texto
cuarto	
cojín	
otros	
quieres	
oficina	
piso	
sabes quién es	

Léxico

3 Relaciona los siguientes verbos con su sinónimo correspondiente.

1 ☐	enfadarse	a	dejar
2 ☐	bromear	b	apartarse
3 ☐	prestar	c	malhumorarse
4 ☐	alejarse	d	reírse

4 Completa las frases con las siguientes expresiones.

es un aburrido **tener ganas** **menuda estupidez**

1 Te advierto que no sé si voy a .... de ir a la playa con lo bien que se está en la montaña.

2 Cuando Carlos piensa que la historia que le cuento es tonta me dice: ¡.............................. !

3 Este chico nunca quiere hacer nada ni con nosotros ni con nadie, ...

5 Asocia las siguientes prendas de vestir con el adjetivo o grupo de palabras que la identifican y con la parte del cuerpo en la que se llevan.

1 ☐ ☐	camiseta	a	de montaña	A	tronco
2 ☐ ☐	chaqueta	b	gordos	B	pies
3 ☐ ☐	calcetines	c	cortos	C	piernas
4 ☐ ☐	pantalones	d	de goma		
5 ☐ ☐	botas	e	impermeable		
6 ☐ ☐	zapatillas	f	de deporte		
7 ☐ ☐	chanclas	g	de manga corta		

Expresión escrita y oral

6 Escribe un texto (20/30 palabras) explicando qué llevas puesto en este momento y qué te pones normalmente para ir a la playa.

7 Habla durante 2 o 3 minutos sobre el siguiente tema: ¿en qué orden le conviene colocar las cosas en la mochila a Sofía?

Antes de leer

1 A lo largo del capítulo aparecen las expresiones marcadas en negrita. Relaciona las fotos con las definiciones de abajo.

A

B

C

1 ☐ **Cruzar la mirada** significa que dos personas se están mirando, y la mirada de uno coincide con la del otro.

2 ☐ **Despedirse** significa saludarse cuando dos o más personas se separan.

3 ☐ **Fijarse** quiere decir notar algo o a alguien interesante.

2 Completa las frases con las palabras del ejercicio anterior.

1 Al final de nuestro viaje, nos .... todos.

2 Sofía y Javier se entienden con solo ....

3 Necesitas .... en lo que hacen tus compañeros para aprender a convivir con el grupo.

3 Mira la imagen de la página 19 y responde a las siguientes preguntas.

1 ¿Cómo va vestida Sofía?

2 ¿Dónde están sentados el resto de los personajes?

3 ¿Están todos felices?

CAPÍTULO 2

Barcelona-Sarria

Al final llega el día de la salida hacia Sarria, en la provincia de Lugo, y la madre de Sofía y la de Javier presentan a los dos chicos. Javier saluda a Sofía, pero no muestra interés por ella. Se despiden todos de sus familias y suben al minibús. El grupo es muy pequeño, son solo doce contando chicos y chicas, y dos monitores, Miguel y Carolina. Miguel tiene unos veinticinco años mientras que Carolina parece un poco más joven. Isabel se despide sonriendo mientras mueve la mano, pero Sofía no sonríe.

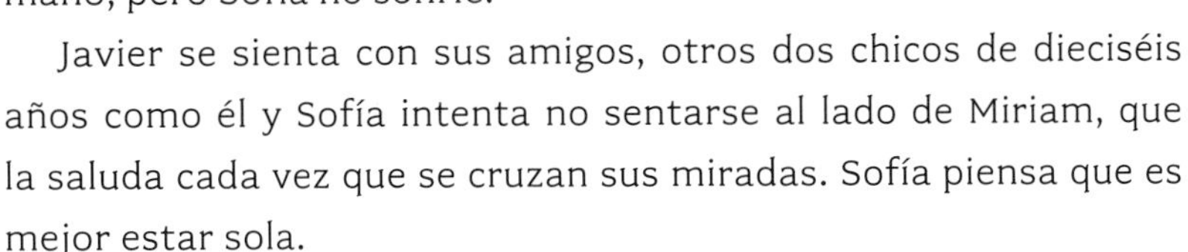

Javier se sienta con sus amigos, otros dos chicos de dieciséis años como él y Sofía intenta no sentarse al lado de Miriam, que la saluda cada vez que se cruzan sus miradas. Sofía piensa que es mejor estar sola.

También Miriam está sentada con dos chicas que no son de la clase de Sofía.

CAPÍTULO 2

Sofía se siente fuera de lugar,[1] parece que todos se conocen y que ella es la única extraña en este grupo. Pero luego se fija en el chico que está sentado junto a Miguel. «Ese chico parece estar más solo que yo», piensa Sofía.

Durante el viaje todos cantan canciones de moda, pero Sofía no quiere participar. Las canciones le gustan, pero es difícil cambiar de actitud después de dos horas de autobús sin decir una palabra. Por fin, Miriam decide acercarse a ella:

—¡Hola! ¿Te apetecen unas galletas de chocolate? —le pregunta.

—Sí —responde tímidamente Sofía, que no quiere perder la ocasión de terminar con su silencio y no parecerse al chico raro que está con el monitor—. Me encantan.

Miriam presenta sus dos amigas a Sofía. Después de un rato, la chica se da cuenta de que está muy bien con ellas, así que piensa que a lo mejor Miriam no es la pesada que ella cree. Sofía le pregunta a Miriam quién es el chico tímido y ella le explica que no le conoce, pero que Carolina sabe que es nuevo en el barrio.

—Más que tímido, parece un poco extraño, casi misterioso —comenta Miriam.

Después de algunas horas de viaje el bus llega delante del albergue[2] donde se alojan la primera noche. Sofía se sorprende porque el chico tímido se dirige a ella.

—La verdad es que es mi primera vez en un albergue —le dice el chico a Sofía. Después le pregunta —Pero, ¿los planes no son acampar durante el Camino?

—Sí, es solo la primera noche y la última —responde Sofía, que ve que el chico, en realidad, es muy abierto—. A partir de Portomarín

---

1. **se siente fuera de lugar**: se siente incómoda en esa situación.
2. **albergue**: estructura que ofrece alojamiento a los peregrinos que hacen el Camino.

acampamos en tienda en las zonas de camping para peregrinos. Yo soy Sofía, ¿y tú?

—Soy Daniel —le responde—. Veo que conoces a la gente del grupo.

—Muy poco —le dice—. ¿Te presento a mis amigas?

—No. De verdad —le responde seco—, en otro momento. Es que tú no te pareces a esas chicas tan ruidosas...

—Ya entiendo —le dice Sofía—, pero se puede cambiar de opinión.

Entran en el albergue y Sofía coincide con Javier, mientras los monitores indican cuál es la habitación de los chicos y cuál la de las chicas.

—Mi madre dice que tú sabes mucho del Camino —dice Sofía para romper el hielo.[3]

—Bastante. Es la cuarta vez que lo hago —le contesta Javier con tono presumido—.[4] Por cierto, veo que conoces al nuevo...

—Sí —responde Sofía, que al menos en esto le lleva ventaja—, parece un chico guay.[5]

—¿Guay? —se sorprende Javier—. Pero, ¡si intento hablar con él y no hace más que apartarse! ¿No te parece que tiene una mirada extraña?

Sofía le responde que no. En realidad, está de acuerdo con Javier pero no quiere darle esa satisfacción.

---

3. **romper el hielo**: iniciar una conversación para romper el embarazo en una situación tensa.
4. **presumido**: que se cree superior a los demás y lo demuestra.
5. **guay**: muy bueno o estupendo (se aplica a las cosas que gustan mucho).

Después de leer

Comprensión lectora

1 A partir de la información del capítulo que acabas de leer, relaciona las dos partes para formar frases.

1 ☐ Sofía y Javier se conocen porque...
2 ☐ En el autobús, Sofía...
3 ☐ Todos cantan canciones de moda,
4 ☐ Nadie en el autobús...
5 ☐ Daniel piensa que las otras chicas...
6 ☐ En este viaje, van a dormir...

a a Sofía le gustan pero no sabe como integrarse en el grupo.
b del grupo hacen mucho ruido.
c sus madres les presentan antes de salir hacia Sarria.
d conoce al chico tímido.
e algunas veces en albergue.
f piensa que hay un chico raro.

Comprensión auditiva

pista 05

2 Escucha este texto sobre los medios de transporte y el Camino de Santiago, y marca con una ✗ si las afirmaciones son verdaderas (V) o falsas (F).

		V	F
1	El aeropuerto de Santiago está muy lejos de la ciudad.	☐	☐
2	Desde casi todas las ciudades españolas salen autobuses hacia Santiago.	☐	☐
3	Hacer el camino en bicicleta es igual de largo que hacerlo a pie.	☐	☐
4	La solución que se espera normalmente del peregrino es hacer el Camino a pie.	☐	☐
5	Hacer el Camino a caballo es muy complicado.	☐	☐
6	El *quad* y la motocicleta están bien aceptados en el Camino.	☐	☐

Léxico

3 Relaciona las palabras de la izquierda con su sinónimo de la derecha.

1 ☐ chico
2 ☐ extraño
3 ☐ tímido
4 ☐ abierto
5 ☐ ventaja

a conveniencia
b raro
c extrovertido
d muchacho
e introvertido

4 DELE Relaciona los verbos del cuadro (A-D) con los enunciados de abajo. ¡Cuidado! sobra una, que tienes que marcar con una ✗.

A	subir	**C**	acampar
B	alojarse	**D**	levantarse

1 Este es el piso tres y nosotros tenemos que ir al piso cuatro. ....
2 Tengo que salir de la cama, son las ocho. ....
3 Los platos se ponen en el armario de la cocina. ....
4 Pasaremos las vacaciones en este hotel. ....
5 El camping es lo que más nos gusta. ....

Gramática

Los demostrativos

	Masculino		**Femenino**	
	Singular	**Plural**	**Singular**	**Plural**
(aquí)	este	estos	esta	estas
(ahí)	ese	esos	esa	esas
(allí)	aquel	aquellos	aquella	aquellas

- Son adjetivos y pronombres y son incompatibles con el artículo.
- Se usan en relación a ***aquí*** (cerca de quien habla), ***ahí*** (cerca del que escucha o en un punto medio entre el que habla y el que escucha), ***allí*** (lejos del que habla y del que escucha).
- Se usan delante del nombre concordando en género y número.

Este *móvil es mío,* ***aquel*** *encima de la mesa es de Marta.*

5 Completa las frases con el demostrativo adecuado.

1 .... río de aquí se llama Sella.
2 Tenemos que llegar allí, hasta .... edificios.
3 ¡No. .... no es el Camino, es solo una calle!
4 .... gafas que llevas tú son muy bonitas.
5 Aquí están, Marta. .... chicos son John y Mariel.
6 .... puente está bastante cerca, pero me parece muy peligroso.

Rincón de cultura

Los albergues del peregrino

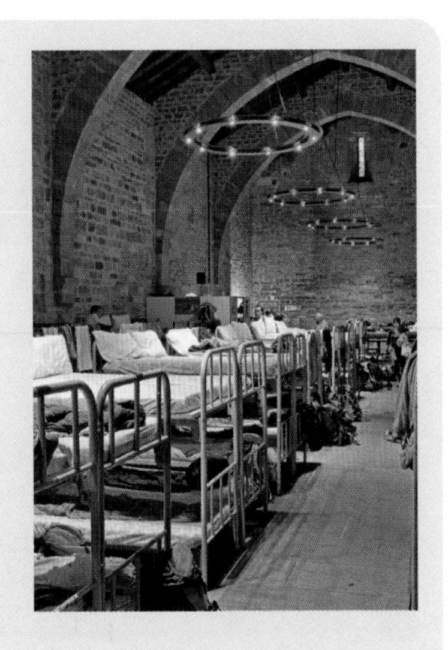

En España existen, respectivamente, una red de albergues para la juventud y una de albergues del Camino de Santiago. Muchos albergues del Camino son para uso exclusivo de los peregrinos, y es necesario presentar la Credencial para tener acceso. Hay albergues públicos (del Estado o de entidades religiosas) y privados, que pertenecen a particulares. En general, en los públicos las plazas se asignan por orden de llegada, con preferencia para los que van a pie. En los privados agradecen la reserva y se paga, mientras que en los públicos a veces se aceptan donativos. Suelen disponer de lavabos, duchas con agua caliente y espacios para lavar y tender la ropa.

Ahora contesta a las siguientes preguntas.

1 ¿Qué tipo de albergues del Camino hay?
2 ¿Qué hay que presentar para entrar en muchos de ellos?
3 ¿Cómo se asignan las plazas en los públicos?
4 ¿De qué suelen disponer lo albergues del Camino?

Antes de leer

1 **A lo largo del capítulo aparecen estas palabras. Relaciona los nombres con las fotos.**

a tienda
b bote
c bocadillo
d saco

2 **Ahora escribe las palabras del ejercicio anterior para completar el significado de estas expresiones.**

1 Un .... de dormir.
2 Una .... de campaña.
3 Un .... de cacao en polvo.
4 Un .... de jamón.

CAPÍTULO 3

Sarria-Portomarín

Al amanecer ya están todos en pie. Después del aseo personal, corren todos hacia el comedor del albergue, donde está servido el desayuno. Todo es muy sencillo: las jarras de leche caliente, el bote de cacao en polvo... Los chicos desayunan con gran entusiasmo, pensando en la aventura que les espera. Pero lo mejor de todo es cuando Carolina les da las Credenciales vacías de sellos.

—Como ya sabéis —dice la monitora—, vamos a sellar[1] cada día dos veces porque estamos en los últimos cien quilómetros del Camino.

Con el documento en la mochila, ¡llega el momento de dar el primer paso hacia Santiago de Compostela!

La salida de Sarria es tranquila y el camino casi todo en llano. Sofía tiene miedo de no estar a la altura de la preparación física del grupo.

1. **sellar**: imprimir con un sello.

Después de las dos primeras horas de camino, empieza a sentir el cansancio[2] del primer día, y Daniel se acerca para darle ánimos.

—¡Venga adelante! —la anima el chico.

—Gracias —le responde Sofía, que añade—, tú, en cambio, tienes una energía increíble. Es sorprendente.

—Sí, estoy en forma. Oye... si quieres te hago compañía. ¿Te cuento algo sobre estas tierras misteriosas de Galicia?

Los chicos están caminando por una estrecha corredera[3] del bosque de robledales, por eso caminan en fila y ellos dos están los últimos. Sofía anda sin aliento,[4] así que le responde que sí con la cabeza y Daniel sigue:

—Bueno... seguro que sabes que los orígenes de Galicia son celtas y que estos lugares y sus gentes están un poquito enganchados a lo sobrenatural. Quiero decir que creen en los *trasnos*, en las *meigas*...

—Las *meigas* sé que son las brujas —le dice Sofía—, pero los *trasnos* no sé qué son.

—Pues una especie de duendes que se dedican a molestar a los humanos. En realidad, son solo gamberretes que le toman el pelo a la gente.

—¡Qué divertido! —comenta Miriam, que está escuchando mientras camina delante de ellos.

—Se trata del poder de sugestión —dice escéptica Sofía. Mientras, Daniel mira mal a Miriam, que entiende que el chico no la quiere cerca y la chica se aleja de los dos.

—Te advierto que hay trasnos peligrosos que se ríen de los hombres y les gastan bromas pesadas —sigue Daniel en un tono más serio.

—¡Qué imaginación que tiene la gente! —se ríe Sofía con sarcasmo.

---

2. **cansancio**: debilidad o falta de fuerza física.
3. **corredera**: lugar estrecho como un pasillo en medio del bosque.
4. **aliento**: aire que se expulsa al respirar.

Daniel habla de estos misterios con mucha pasión, y Sofía no sabe si pensar que bromea para entretenerla o que va en serio. Por suerte, la conversación se termina en el mesón[5] donde paran para comerse el bocadillo y para sellar por primera vez la Credencial. Carolina controla los pies de Sofía y ve que no tiene ampollas,[6] así que la deja descansar. La verdad es que Sofía empieza a arrepentirse[7] de su alegría del día anterior, y su carácter negativo empieza a salir.

—Yo me voy para casa esta noche —le dice Sofía a Miriam—. Todo esto es una tontería.

—Sofía, eres una exagerada —le responde la amiga—. Esta tarde, al llegar a Portomarín estarás bien.

El grupo se pone de nuevo en camino y Daniel aprovecha que Sofía se queda atrás otra vez para contarle durante todo el camino sus historias de miedo, que la empiezan a inquietar. Por suerte, llegan al camping y Sofía está bien, pero muy cansada.

El sitio que les dan para acampar es un lugar fantástico pegado al bosque que bordea el embalse de Belesar. Plantan las tiendas: una para las chicas y Carolina y la otra para Miguel y los chicos.

En el camping de peregrinos encuentran duchas, baños colectivos y el restaurante donde cenan por la noche. Después, todos van a sus tiendas y duermen como troncos. Pero durante la noche Sofía se despierta por el ruido de una lechuza; todos duermen profundamente.

Después de unos minutos empieza a oír ruidos de animales y gritos de personas que se acercan cada vez más. Sofía está paralizada por el miedo, intenta llamar a sus compañeras, pero nadie se despierta. Las voces se acercan cada vez más y alguien empieza a golpear la tienda. Sofía intenta gritar con todas sus fuerzas, pero la voz no le sale de la garganta.

---

5. **mesón**: establecimiento típico donde se sirven comidas y bebidas.
6. **ampolla**: cuando la piel se hincha por acumulación de líquido.
7. **arrepentirse**: sentir pesar por no haber hecho o dicho algo.

No entiende por qué los demás no se despiertan. Se tapa la cabeza con el saco y no deja de temblar. Cuando sale de su garganta el grito más agudo de su vida, los ruidos cesan de repente.

A la mañana siguiente, Sofía cuenta lo sucedido y todos piensan que se trata de una pesadilla. Ella misma acepta que es solo eso, cuando el monitor llega gritando que no encuentra a Javier por ninguna parte, que lo busca desde hace una hora y no está en el camping.

—¿Por qué no miramos por el bosque? —propone muy nerviosa Miriam— ¡Vamos!

Todos empiezan a correr hacia el bosque y se separan para buscar mejor. Después de media hora le encuentran en el suelo, en medio de la neblina del lago. El chico parece dormido y Miguel intenta despertarle. Por fin, cuando Javier se despierta explica que no sabe por qué está allí, pero les cuenta lo que cree que es un sueño:

—Pues nada, que estaba durmiendo y siento que alguien tira de mi saco, y al despertar veo una criatura horripilante con unas orejas enormes, una nariz llena de verrugas[8] y un gorro de color rojo. Sus manecitas huesudas[9] tiran del saco con mucha fuerza mientras me mira con sus ojos. Imagino que desde entonces estoy durmiendo, pero no sé por qué estoy aquí y no en la tienda.

Los demás le escuchan sorprendidos. La historia que cuenta Javier parece absurda. De repente Sofía dice:

—A lo mejor está relacionado con los ruidos de anoche... —pero se para en seco, porque ve las miradas sorprendidas de los otros y añade—, pero puede ser solo un sueño, claro.

—Esto parece ser obra de un trasno de bosque —dice Daniel.

Todos se ponen a reír y Daniel, más que divertido, parece irritado.

---

8. **verruga**: excrecencia cutánea por lo general redonda.
9. **huesudo**: que tiene o muestra mucho hueso.

Después de leer

Comprensión lectora

1 DELE **Después de leer el capítulo 3, relaciona los siguientes enunciados con la pesona que los ha podido decir.**

		A Miriam	B Sofía	C Daniel
1	Los *trasnos* y las *meigas* existen.			
2	Me gusta hacerte compañía mientras caminas.			
3	Nadie se cree esas cosas.			
4	Los celtas habitaron muchos años estas tierras.			
5	¡Qué interesante lo que cuentas!			
6	Todo eso es fantasía.			

Comprensión auditiva

2 **Escucha el texto sobre la cultura celta y responde a las preguntas.**

1 ¿Cuáles son las naciones de la llamada Liga Celta?
2 ¿Qué tienen en común estos pueblos?
3 ¿En Galicia se habla la lengua celta?
4 ¿Qué instrumento musical gallego está relacionado con la cultura celta?

Léxico

3 **Relaciona las siguientes palabras con sus derivados.**

1 ☐ tonto
2 ☐ gamberro
3 ☐ sello
4 ☐ niebla

a gamberrete
b tontería
c neblina
d sellar

4 Ahora asocia los derivados del ejercicio anterior con su definición.

a tonto
b gamberro
c sello
d niebla

1 ☐ Instrumento pequeño que tiene un mango y una plancha de metal que lleva grabados en relieve signos y figuras; la plancha mojada con tinta sirve para estampar dichos signos y figuras en un documento, un papel, etc.

2 ☐ Acumulación de partículas de agua que forma una capa extensa en contacto con la superficie terrestre y reduce la visibilidad.

3 ☐ Persona que comete actos incívicos para producir molestias a otras personas.

4 ☐ Persona con poca inteligencia o que realiza una conducta poco oportuna frente a una situación.

5 Relaciona las expresiones en negrita con el significado que se usa en el texto.

1 **Estar enganchado** significa...
- a ☐ estar cogidos a un gancho.
- b ☐ que algo te gusta y te interesa mucho.

2 **Gastar bromas** significa...
- a ☐ burlarse de alguien sin mala intención.
- b ☐ usar mucho la goma.

3 **Ir en serio** significa...
- a ☐ decir y hacer las cosas con seriedad.
- b ☐ coger un medio de transporte.

4 **Tomar el pelo** significa...
- a ☐ cortarse el pelo.
- b ☐ burlarse de alguien.

Gramática

Los posesivos átonos

	Singular		Plural	
	Masculino	**Femenino**	**Masculino**	**Femenino**
un solo poseedor	mi tu su		mis tus sus	

	Singular		Plural	
	Masculino	**Femenino**	**Masculino**	**Femenino**
varios poseedores	nuestro	nuestra	nuestros	nuestras
	vuestro	vuestra	vuestros	vuestras
	su		sus	

- Son solo adjetivos y son incompatibles con el artículo.
- Se usan delante del objeto al que se refieren, concordando en género y número con el mismo.
- Son incompatibles con la partícula *hay*.

En la fiesta están ***mis*** *amigos Juan y Lorenzo.*

6 Corrige los errores de las siguientes frases.

1 La mi casa es la más grande del barrio.
2 Estos calcetines no son los mis calcetines.
3 Vuestro bicicleta es muy bonita.
4 ¿Dónde está sus paraguas?
5 Mi amigos están en esta hospedería.
6 Crema vuestra está en la bolsa.

Expresión escrita

7 DELE Escribe un mensaje telefónico de unas 20/30 palabras a un(a) amigo/a o a un/a pariente usando al menos cuatro palabras del cuadro.

amanecer cansancio temblar soñar pesadilla sueño

El Aquelarre, de Francisco Goya (1798).

Criaturas mágicas

La **mitología gallega** es el conjunto de creencias populares de Galicia que siguen vivas después de siglos. Son una mezcla de creencias galaicas, celtas, germánicas, romanas y cristianas que se han ido mezclando y han evolucionado con el pasar del tiempo.

Esta mitología comprende lugares y símbolos mágicos, divinidades y festividades, pero sobre todo criaturas sobrenaturales veneradas en estas tierras. Entre ellas destaca el ***nubeiro***, de aspecto fuerte y vestido con pieles negras, que se asocia a la niebla y a las tormentas; la gente tiene miedo de él porque puede dirigir los rayos a su voluntad. Después existen el ***apalpador*** (un carbonero que baja por las chimeneas de las casas el 31 de diciembre y lleva regalos a los niños), las ***meigas*** y las ***bruixas***, que no son lo mismo: las *bruixas* pueden ser malas y hacer pactos con los demonios, mientras que las *meigas* se asocian a la idea de un espíritu bueno. Pero, a veces, también las *meigas* pueden ser malas, como la *meiga* **Marimanta**, que lleva un saco y hace desaparecer a los niños que se alejan de casa.

Pero uno de los más populares es el ***trasno***, un espíritu invisible que, durante la noche, puede provocar todo tipo de desastres caseros para hacer ruido, como por ejemplo romper los platos.

Muchas veces el trasno aparece como criatura con orejas largas y peludas; otras, en cambio, aparece como ser humano o animal, y sigue a las personas a todas partes.

El punto débil del trasno es que sabe contar solo hasta diez, así que, para echarle de casa, basta con dejar en algún lado una cesta con granos de arroz o de lentejas, y él estará contando toda la noche sin hacer trastadas.

Para terminar, están también el ***urco***, que es un animal fantástico que

El conjuro, o *Las brujas* de Francisco Goya (1797-1798).

suele aparecer bajo forma de perro con cuernos (y si aparece indica que va a pasar algo malo); los ***serpes***, una especie de dragones-serpientes con alas que vigilan los tesoros; las ***pupueiriñas***, que son como hadas y se encargan de cumplir los sueños de los niños; son silenciosas y rápidas, y cuando están cerca puedes notar su mirada.
Está claro que todas estas criaturas existen para justificar los fenómenos naturales inexplicables de un tiempo, o para crear miedo en las gentes, especialmente en los niños a los que se advertía de los peligros de la vida hablándoles de la existencia de estas criaturas. Claro que, como se dice en Galicia, «no creo en las *meigas* pero... ¡haberlas haylas!»

Comprensión lectora

1 Marca con una ✗ si las siguientes afirmaciones son verdaderas (V) o falsas (F).

		V	F
1	Las creencias sobrenaturales gallegas tienen su origen solo en la cultura celta.	☐	☐
2	Una de estas criaturas se relaciona con las fiestas navideñas.	☐	☐
3	Las *bruixas* y las *meigas* son lo mismo.	☐	☐
4	Los *trasnos* saben contar solo hasta cien.	☐	☐
5	Estas creencias sirven también para avisar de los peligros a los más pequeños.	☐	☐

2 Asocia a cada criatura con sus características.

1 ☐ nubeiro
2 ☐ apalpador
3 ☐ trasno
4 ☐ serpes
5 ☐ pupueiriñas

a Se encargan de cumplir los sueños de los niños.
b Vigilan los tesoros.
c Se asocia a las tormentas.
d Baja por la chimenea.
e Rompe cosas por la noche.

Antes de leer

1 **A lo largo del capítulo aparecen estas palabras. Relaciona los nombres con las fotos.**

a palo	c cantimplora	e *cruceiro*
b llovizna	d haya	f móvil

CAPÍTULO 4

Portomarín-Palas de Rei

Los chicos tienen ya dos sellos en sus Credenciales cuando salen de Portomarín camino de Palas de Rei. En algunos tramos,[1] el camino bordea la carretera, pero también atraviesa magníficos bosques de hayas. Javier hace lo posible por caminar cerca de Sofía, pero Daniel no se aparta de ella ni un momento.

Cuando llega al *cruceiro* de Lameiros, el grupo decide pararse para comerse los bocadillos que llevan. Se sientan en las escaleras que suben al monumento. Javier observa que Daniel se aparta completamente del grupo, entonces aprovecha[2] para sentarse al lado de Sofía, porque después de lo ocurrido en la primera noche se siente de alguna manera unido a ella.

---

1. **tramo**: parte en que se divide algo largo, como un camino.
2. **aprovechar**: emplear útilmente algo o una ocasión.

CAPÍTULO 4

—Sofía, tú no piensas que es un sueño lo de anoche, ¿verdad? —le dice el chico.

—No, Javier, yo no creo... —le dice Sofía con la cabeza baja y sonriendo por lo bajo—, empiezo a creer en el trasno de Daniel.

Pero Sofía se pone a reír después de una breve pausa. Claramente, la chica está de broma y Javier casi la cree. Lo extraño es que Daniel les oye desde donde está y grita:

—¡Ya sabía que al final me ibas a creer! —le dice Daniel a Sofía.

—Pero ¿cómo sabes lo que digo? —pregunta Sofía sorprendida por la distancia que les separa.

—Venga hombre, descansa un poco aquí con nosotros —le propone Javier—. ¿Quieres agua?

Javier busca la cantimplora colgada en la mochila, pero no la encuentra.

—Pero ¡qué raro! ¿Dónde está mi cantimplora? La llevo siempre colgada...

Daniel se ríe desde donde está y le ofrece la suya. Javier se levanta y va a donde está Daniel, bebe para demostrarle que quiere ser su amigo y el grupo se pone de nuevo en camino.

El tiempo no es bueno y cae una ligera llovizna que crea una neblina cada vez más espesa, pero el grupo quiere seguir hasta Castromaior para comer y sellar la Credencial.

Llegan por fin a la meta,[3] paran en un bar en el que sellan la Credencial, comen y, como sale el sol, se ponen de nuevo en camino. El tiempo mejora, pero las nubes son bajas. Miguel invita a los chicos a no separarse los unos de los otros por si el tiempo empeora, pero Javier y sus amigos deciden entrar en el bosque cuando quedan pocos quilómetros para llegar a Palas de Rei.

---

3. **meta**: lugar en que termina una carrera.

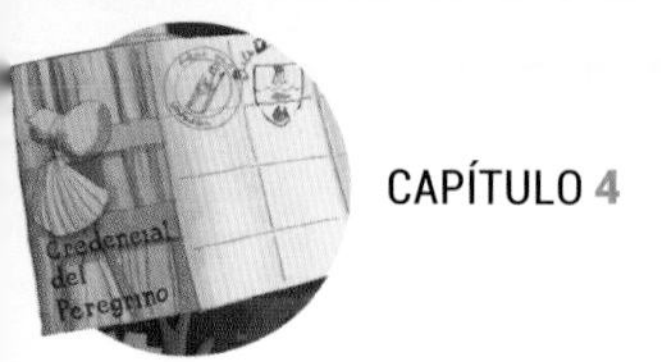

CAPÍTULO 4

Los chicos quieren buscar algún palo para apoyarse mientras caminan. Después de un buen rato, Miguel entra a buscarles porque no salen al camino desde la espesura. Pasan quince minutos y los chicos regresan, pero Miguel no viene con ellos.

—¿Dónde está Miguel? —pregunta Carolina.

—¿No está con vosotras? —responde Javier.

—No. Ha entrado en el bosque para buscaros a vosotros —responde Carolina.

—¡Con nosotros no está! —exclama Javier.

La monitora intenta no darle importancia al hecho. Es fácil despistarse cuando se entra en la espesura del bosque, sobre todo con esta neblina. Pero seguro que Miguel sale más adelante al camino, porque es un experto en senderismo, así que no le puede pasar nada.

Se vuelven a poner en el camino y Daniel le hace preguntas a Javier sobre la desaparición de Miguel:

—¿Estás seguro de no haber visto otra vez a aquella criatura en el bosque? —le pregunta muy serio.

—¡Ya vale, Daniel! ¡Eres un pesado! —le responde Javier—. No sé si quieres tomarme el pelo o hablas en serio. En los bosques no hay criaturas con orejas grandes y narices llenas de verrugas que miden setenta centímetros...

—Veo que recuerdas muy bien al trasno —le replica Daniel intrigante.

—Pero ¿qué dices? —responde Javier aturdido—, seguro que Miguel tiene sus razones para desaparecer y seguro que está perfectamente.

Javier le explica a Sofía las cosas extrañas que cuenta Daniel y Sofía decide hablar de esto con Carolina. La monitora le responde:

—Mira, Sofía, no conozco a Daniel, pero creo que quiere solo llamar la atención de todos con estas cosas. Tenéis que

comprenderlo y aceptarlo sin enfadaros con él —le responde Carolina—. ¡Ah! —añade— y a Miguel no le pasa nada, tranquilos.

Carolina duda de sus propias palabras y espera el momento justo para llamar a Miguel al móvil, porque no quiere preocupar a los chicos. Cuando Carolina llama a Miguel, este no responde.

Después de la conversación con Carolina, Sofía piensa que a lo mejor tiene que darle otra oportunidad a Daniel a pesar de sus extrañezas.

—Eh Daniel ¡Espera! —le llama—. Quiero hablar contigo.

—¿De qué? —le pregunta el chico.

—Pues de todo lo que está pasando —le dice—. ¿Dónde estabas tú cuando Javier y los otros estaban en el bosque?

—Pues contigo —le responde el chico.

—No, yo estaba con Miriam y sus amigas —le replica Sofía.

—Yo que sé —se irrita Daniel—, pues estaba solo... ¿qué importa?

—Ya. ¿Crees que alguna meiga tiene raptado a Miguel? —le pregunta Sofía con algo de ironía.

—Pues podría ser. Claro que sí —le contesta Daniel—, lo que pasa es que ni tú ni los demás os lo creéis.

Al llegar al camping de Palas de Rei, Carolina pregunta enseguida por Miguel a los organizadores del lugar, pero nadie sabe nada del chico. El móvil da señal de apagado y Carolina, antes de alarmarse, prefiere esperar su llegada al día siguiente.

Después de leer

Comprensión lectora

1 DELE Elige la opción correcta.

1 Cuando los chicos salen de Puertomarín...
- a ☐ Javier camina junto a Sofía.
- b ☐ el camino sigue todo el tiempo la carretera.
- c ☐ el Camino cruza algunos bosques.

2 Al llegar al *cruceiro* del camino...
- a ☐ Daniel se sienta con los chicos.
- b ☐ Sofía y Javier bromean.
- c ☐ Javier se separa de todos.

3 Cuando paran para comer...
- a ☐ no deja de llover.
- b ☐ sale el sol.
- c ☐ Miguel duda del tiempo que hace.

4 Los chicos entran en el bosque para buscar...

5 Cuando los chicos salen...
- a ☐ Miguel está con ellos.
- b ☐ los chicos se sorprenden de ver a Carolina.
- c ☐ Carolina se sorprende.

Comprensión auditiva

pista 09

2 **Escucha este texto sobre los bosques gallegos y marca con una ✗ si las afirmaciones son verdaderas (V) o falsas (F).**

		V	F
1	En Galicia llueve buena parte del año.	☐	☐
2	Ancares forma parte de la mayor reserva verde de Galicia.	☐	☐
3	Entre los animales que puedes encontrar en Ancares y Courel están los ciervos.	☐	☐
4	La montaña más alta de Galicia se encuentra en Courel.	☐	☐
5	Los bosques de Manzaneda tienen poca vegetación.	☐	☐

pista 09

3 **Vuelve a escuchar el texto y completa las frases con las palabras que faltan.**

1 No vale la pena ....; lo mejor es entrar en uno de los centenares de bosques para disfrutar del aire húmedo, el .... y la ....

2 Lobos, ..., zorros y corzos son algunos de los animales que te puedes encontrar ahí.

3 La montaña más alta de Galicia es el .... (2.127 m) y cuenta con ...., profundos y escondidos bosques.

Léxico

4 **Relaciona las palabras con su definición correspondiente.**

a bordear
b espesura
c empeorar
d aturdido

1 ☐ Lugar muy poblado de árboles y matorrales.
2 ☐ Confundido, desconcertado, pasmado.
3 ☐ Ir por el borde o cerca del borde u orilla de una cosa.
4 ☐ Cuando lo que ya es malo, se hace peor.

Gramática

Los pronombres interrogativos

Pronombre	Uso
qué	Es invariable y lleva siempre acento gráfico. Sirve para preguntar por objetos o acciones.
quién **quiénes**	Varía en número y lleva siempre acento gráfico. Sirve para preguntar por personas.
cuánto **cuánta** **cuántos** **cuántas**	Cambia en género y número dependiendo del nombre y lleva siempre acento gráfico. Sirve para preguntar por la cantidad.

*¿**Quién** es el chico más tímido del grupo?*
*¿**Cuántas** tiendas de campaña usan para dormir?*

5 **Escribe al lado de cada frase qué información se pregunta. Observa el ejemplo.**

cantidad   persona   cosa

0 ¿Cuánto camino nos queda por recorrer? cantidad
1 ¿Qué hay dentro de la mochila de un peregrino? ....
2 ¿Sabes quién es Bruno? ....
3 ¿No sabes cuántas etapas hay que recorrer? ....
4 ¿Quiénes salen a caminar hoy con nosotros? ....
5 ¿Cuántos sois en vuestra habitación? ....
6 ¿Qué espera de esta aventura? ....

Expresión oral

6 DELE **Describe la imagen de la página 39: el ambiente, la situación y cómo van vestidas las personas.**

Antes de leer

1 A lo largo del capítulo aparecen estas palabras. Relaciona los nombres con las fotos.

a terraza

b linterna

c panizo

d quiosco

2 Ahora asocia las palabras del ejercicio anterior con sus definiciones correspondientes.

1 ☐ Semilla comestible, redonda, brillante y de color entre amarillo y rojo.

2 ☐ Local comercial pequeño donde se venden periódicos, revistas y otros artículos.

3 ☐ Parte al aire libre de un bar donde las personas se pueden sentar y tomar algo.

4 ☐ Utensilio portátil para alumbrar, que normalmente funciona con pilas.

CAPÍTULO 5

Palas de Rei-Arzúa

A la mañana siguiente, Carolina es la primera en levantarse, pero los chicos, que empiezan a notar que está preocupada, se despiertan también temprano. Miguel no aparece. Cuando todos han desayunado, Carolina organiza la salida, pero Miriam descubre que Daniel no está por ningún sitio y se lo dice al grupo. Carolina se pone muy nerviosa.

—¡Otra vez! —exclama la monitora.

Por suerte, cuando todos empiezan a asustarse y a pensar qué hacer, una voz les grita desde atrás:

—¡Buh!

Cuando se dan la vuelta ven que se trata de Daniel, que se está riendo de todos ellos.

—Pero... ¿cómo puedes hacerme esto, Daniel? Después de las cosas que nos están pasando —le grita Carolina—. ¿Se puede saber de dónde sales?

¿Y qué haces con ese gorro de lana rojo con el calor que hace?

Daniel para en seco de reírse, no se acuerda de llevar puesto el gorro y se lo quita inmediatamente, mientras los demás empiezan a reírse:

—Estás muy gracioso —le dice Sofía—. ¿Lo usas para dormir?

Daniel se enfada mucho con ellos y Sofía corre para pedirle disculpas y decirle que se trata solo de una broma.

—Eres como todos —le dice el chico—. No eres una chica especial.

—¿Y que hay de eso de que todos somos especiales? —responde Sofía con ironía.

—Que es como decir que nadie lo es —le replica Daniel con rabia.

—Creo que estás exagerando Daniel. Creo que esto es demasiado —se enfada Sofía—. Todos intentamos estar contigo, escuchar tus historias sin reírnos... pero tú solo piensas meternos miedo —le reprocha Sofía.

Mientras Sofía está regañando a Daniel, este pone la cara más rabiosa que nunca; en ese momento, Miriam sale de la tienda gritando:

—¡No encuentro mi linterna! —exclama—. Aquí hay alguien que se lleva las cosas de los demás: primero la cantimplora de Javier, ahora mi linterna...¡Cada día desaparece algo!

—Bueno, no pasa nada —dice Carolina—, ya verás que al final las cosas aparecen en la mochila de otro. Vamos a retomar el camino con ánimo para llegar a Arzúa. ¿No estáis emocionados? Ya llevamos tres sellos en la Credencial y mañana es nuestro penúltimo día.

Los chicos vuelven a recobrar la sonrisa. Después de desayunar y haber recogido las tiendas, salen de nuevo al camino en dirección de Arzúa. Los chicos no lo saben, pero Carolina empieza a

preocuparse seriamente por Miguel. Cada vez que cruzan un pueblo, intenta ver si le encuentra sentado en la terraza de algún bar o parado en un quiosco, pero nada.

Saliendo de Leboreiro, una de las muchas aldeas por las que pasan, el grupo tiene que cruzar un puente. Sofía, que ya es una experta caminadora, se adelanta para esperar al resto del grupo junto con Javier y Miriam, que caminan un poco más deprisa. En el puente, Sofía se sienta en uno de los bordes, cuando, de repente, empieza a gritar asustada, con los brazos abiertos como queriendo evitar caerse hacia atrás. Javier y Miriam rápidamente la agarran, cada uno de un brazo, y la ayudan a ponerse en pie. Sofía está aterrorizada.

—He notado que algo me pesaba, pero no era mi mochila —exclama, mientras se quita la mochila y la tira al suelo.

—¡Pero aquí no hay nada! —dice Miriam—. Está solo la mochila.

Sofía no consigue explicarse qué ha sucedido: ha sentido el peso de un animal grande en su espalda que la empujaba hacia atrás. Todos llegan rápidamente hasta donde están los chicos, y una vez más Daniel aparece después, esta vez saliendo de entre los árboles del bosque preguntando que qué pasa.

—Que casi me mato, si no llega a ser por Miriam y Javier —responde Sofía, llorando.

Carolina no sabe qué decir, es el camino más extraño de toda su vida: Miguel, que no llama y no responde, objetos que desaparecen, Javier que no sabe por qué se despierta solo en el bosque, y ahora una chica que casi se cae al río. Lo único bueno es ver la unión que hay en el grupo a pesar de los desastres.

Javier, Sofía y Miriam están muy asustados y después de unos quilómetros caminando en silencio se atreven a decir lo que piensan sobre las cosas que suceden.

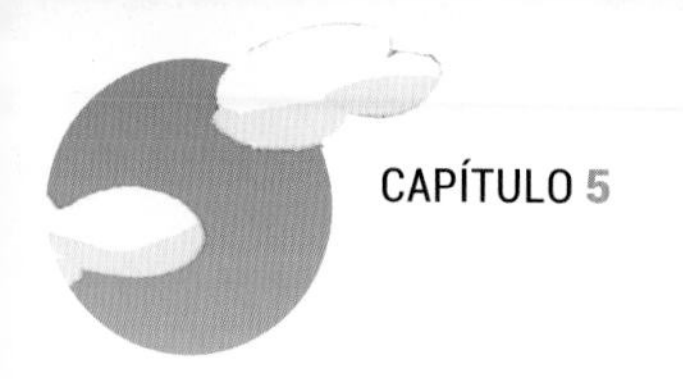

—A lo mejor tenemos que empezar a pensar que las cosas que cuenta Daniel son verdad. ¿No os parece? —les pregunta Javier.

—¿Verdad? ¿De verdad crees que una criatura del bosque intenta amargarnos[1] el Camino? —dice Sofía—. Estoy muy asustada, pero no puedo creer una tontería como esa.

—Yo, en la próxima parada, intento buscar información en internet sobre esos duendes que Daniel llama trasnos —dice Javier—. Pero sin decirle nada a Daniel, porque no quiero darle la oportunidad de burlarse de nosotros.

—¡Venga, Javier! Ya sabes que él es así —le dice Sofía—. A lo mejor está convencido de que estas cosas existen. Déjalo. A lo mejor, como dices, incluso tiene razón.

Cuando llegan a Melide paran para comer en una pulpería.[2] Javier hace su investigación, no solo sobre los trasnos en general, sino sobre cómo deshacerse de uno. En internet encuentra una página sobre la Galicia misteriosa. En ella lee que lo mejor es esperar a la noche y poner al lado del lugar donde se duerme un recipiente con granos de algún cereal. Los trasnos tienen la manía del orden y, como solo saben contar hasta diez, se pasan toda la noche contando y no hacen otras maldades.

En Arzúa no hay rastro de Miguel. Los chicos montan las tiendas, se duchan y aprovechan la tarde para visitar Arzúa y comprar unos granos de panizo para poner al lado de las tiendas. La noche en el camping transcurre tranquila.

1. **amargar**: causar disgusto.
2. **pulpería**: establecimiento de comida donde se sirve preferentemente pulpo.

Después de leer

Comprensión lectora

1 Responde a las siguientes preguntas.

1 ¿Por qué se asusta tanto Carolina?
2 ¿Cómo reaccionan los chicos cuando ven el gorro de Daniel?
3 ¿Qué espera Carolina cada vez que pasan por un pueblo o una aldea?
4 ¿Por qué Sofía se adelanta al grupo?
5 ¿Quiénes ayudan a Sofía en el momento de peligro?
6 ¿Dónde está Daniel cuándo Sofía está en peligro?
7 ¿Qué piensa Carolina de este Camino?
8 ¿Cómo piensan deshacerse del trasno?

Comprensión auditiva

pista 11

2 DELE Relaciona las siguientes imágenes con las frases que vas a escuchar. ¡Cuidado! Hay seis imágenes y solo cuatro frases; dos imágenes sobran.

Léxico

pista 12

3 Escucha el siguiente texto sobre los puentes del Camino y completa con las palabras que faltan.

Los puentes que cruzan los numerosos (**1**)......................... del Camino de Santiago son imprescindibles para la (**2**)......................... de peregrinaje. Sin ellos, el Camino no puede existir. Algunos de estos puentes son (**3**)........................., y otros, en cambio, son contemporáneos. Todos merecen una (**4**)......................... del caminante y muchos son objeto de fotos de (**5**)......................... . Los más antiguos tienen una (**6**)......................... acerca de su uso, como el "puente de la rabia" en Zubiri, del que se dice que los animales dan una (**7**)......................... alrededor de los pilares para curarse si sufren de esa enfermedad.

4 Te proponemos los siguientes modismos que contienen el verbo "meter". Relaciónalos con su significado.

a meter miedo
b meter prisa
c meter la pata
d meter las narices

1 ☐ Curiosear; interesarse demasiado en las cosas de los otros dando fastidio.
2 ☐ Equivocarse; decir o hacer algo en un momento inadecuado.
3 ☐ Impacientar; querer que los demás hagan las cosas más rápidamente.
4 ☐ Asustar; hacer que la gente tenga miedo de algo o de alguien.

Gramática

También y tampoco

También es un adverbio. Se usa para decir que estás de acuerdo con una frase **afirmativa** que dice otra persona o para expresar igualdad o semejanza **positiva.**

Tampoco se usa para expresar acuerdo con una frase **negativa** que dice otra persona o para expresar igualdad o semejanza negativa.

—A mí me gusta la paella. *—A mí **también.***
—Hoy yo no voy a ver el partido. *—Yo **tampoco.***

5 **Reacciona utilizando las siguentes expresiones:**

yo también **yo sí** **a mí también** **yo no** **a mí tampoco**

1 A mí me gusta España. ....
2 No conozco Galicia. ....
3 Me gusta dormir en acampada. ....
4 Desayuno cosas dulces todas las mañanas. ....
5 No me gusta levantarme temprano. ....
6 A mí no me gusta llevar gorro. ....

Expresión escrita

6 DELE **Imagina que has pasado tus vacaciones en un camping: escribe una postal a un(a) amigo/a contándole cómo es el lugar y cómo lo estás pasando (20-30 palabras).**

Antes de leer

1 **Mira la imagen de la página 57 y responde a las preguntas.**

1 ¿Qué tipo de local te parece que es este?
2 ¿Qué están haciendo las personas adultas?
3 ¿Cómo te parece que se sienten Sofía y Javier?

pista 13

2 **Escucha las primeras líneas del capítulo y marca con una ✗ si las afirmaciones son verdaderas (V) o falsas (F).**

		V	F
1	Hoy todos se levantan tarde porque están muy cansados.	☐	☐
2	Carolina quiere hablar con los chicos antes de salir.	☐	☐
3	Está claro que este es un Camino en el que no hay problemas.	☐	☐
4	Algunos chicos hablan de la naturaleza del Camino.	☐	☐

CAPÍTULO 6

Arzúa-Pedrouzo

A la mañana siguiente, Carolina les plantea a los chicos salir más tarde, porque después de desayunar van a hacer la reunión en la que los chicos cuentan sus experiencias durante estos tres días, antes de empezar la penúltima jornada de camino.

El entusiasmo es general y Sofía, Miriam y Javier casi parecen haber olvidado los desastres ocurridos.

Reflexionando sobre el Camino solo pueden recordar el cansancio físico que ayuda a concentrar la mente para poder abrirla, y apreciar los sonidos que la naturaleza ofrece a lo largo del recorrido: el fluir del agua de los arroyos y ríos, el canto de los pájaros, los pasos de uno mismo y de los que caminan a tu lado en silencio.

Para otros el paisaje es lo que cuenta: los prados verdes y los caballos y las vacas paciendo, pero sobre todo los bosques con árboles gigantescos, que, en ocasiones, dejan entrever el cielo y el sol y crean juegos de luz maravillosos.

—Sí, los bosques son lo mejor —exclama de repente Daniel—. Yo los encuentro un lugar ideal para vivir. ¿Vosotros no? —pregunta al grupo.

—Hombre, debe ser bonito, pero solo para un fin de semana —responde Miriam—, más tiempo creo que es un poco aburrido. A mí del Camino, lo que más me gusta es cruzarme con la gente y decir eso de "buen camino".

—¡Anda ya! ¡Que sabes tú de bosques, cría de ciudad! —exclama irritado Daniel.

Miriam está un poco ofendida, pero decide no enfadarse con el chico, y Carolina invita a todos a coger las mochilas y a empezar la etapa hacia Pedrouzo. Está claro que Daniel no está integrado en el grupo: todos están de acuerdo en que es antipático porque se aparta del grupo y parece que les mira desde lejos con envidia y recelo. No se divierte con nada ni con nadie, y poco queda del chico tímido pero simpático del primer día.

El recorrido resulta fácil. Los chicos ya saben medir bien sus fuerzas: cuando es el mejor momento para bromear entre ellos, caminar en silencio, saludar a los peregrinos que adelantan, ofrecer ayuda si durante el camino alguno de los compañeros se siente cansado.

Cuando llegan a Pedrouzo, Carolina les recuerda que esta última noche la van a pasar en el albergue del pueblo. Es un albergue grande y moderno donde, además, como hace buen día, los chicos pueden lavar ropa si lo necesitan, porque dispone de lavaderos[1] y de tendederos.[2]

---

1. **lavadero**: lugar o recipiente en que se lava la ropa.
2. **tendedero**: lugar donde se pone a secar la ropa recién lavada.

Además, el sitio permite cocinar, así que esta última cena en el Camino la van a cocinar ellos mismos.

Carolina no deja de pensar en Miguel y en cuándo va a decidirse a aparecer.

En el espacio que ofrece el albergue para cocinar, los chicos encuentran a otro grupo de jóvenes italianos que, como ellos, tienen intención de cocinar, así que deciden compartir lo que van a preparar: los italianos pasta con tomate y nuestros chicos unas ensaladas con lechuga, tomate, atún y huevos duros que han salido a comprar después de haber descansado esa tarde a la llegada a Pedrouzo.

Durante la cena, el ambiente es estupendo y los chicos italianos, que hablan un poco de español, son muy divertidos. El único que, como siempre, se muestra distante es Daniel, que prefiere comerse un bocadillo en el patio del albergue sin sentarse con el grupo. Carolina se da cuenta de que Daniel y el grupo no funcionan y recuerda que, al fin y al cabo, de este chico nadie sabe nada. Miguel lo ha encontrado frente al autobús la mañana de la salida desde Barcelona, con una carta de los directores del *esplai* que decía que estaba incluido en el grupo.

Después de leer

Comprensión lectora

1 DELE **¿Quién dice qué? Relaciona las frases del capítulo con las personas que las dicen.**

		A Carolina	B Daniel	C Miriam
1	Los bosques son aburridos después de mucho tiempo.			
2	El último día vamos a salir más tarde.			
3	¡Coged las mochilas que nos vamos!			
4	Lo que más me gusta son los bosques.			
5	Me gusta saludar a los peregrinos que encuentro en el Camino.			
6	La última noche la vamos a pasar en el albergue.			
7	Ahora cogéis las mochilas que salimos para Pedrouzo.			

2 **Marca con una ✗ si las siguientes afirmaciones son verdaderas (V) o falsas (F).**

		V	F
1	Carolina reúne a los chicos para hablar de Miguel.		
2	Todos están muy emocionados porque es el último día.		
3	A la mayoría les gusta la naturaleza del Camino.		
4	Miriam ofende a Daniel.		
5	Todo el grupo piensa que Daniel es antipático.		
6	El grupo pasa la última noche en el camping.		
7	El albergue tiene restaurante.		
8	En el albergue pueden lavar y tender la ropa.		
9	Carolina se da cuenta de que nadie sabe de dónde llega Daniel.		

Comprensión auditiva

3 **Escucha con atención el capítulo e identifica las imágenes que se relacionan con el texto.**

a

b

c

4 **Escucha la grabación sobre la tarta de Santiago y responde a las preguntas.**

1 ¿Cuáles son los ingredientes de la tarta de Santiago?
2 ¿Desde cuándo existe este dulce?
3 ¿Cómo viene decorada la tarta?
4 ¿Desde cuándo la tarta se decora de esta manera?
5 ¿Cuáles son los orígenes de la Cruz de Santiago?

Léxico

5 **Escribe los verbos del cuadro junto a su definición correspondiente.**

recelar integrarse medir aburrirse

1 ....: hacer que algo o alguien forme parte de un conjunto, de un todo.
2 ....: estar mal porque algo no nos divierte.
3 ....: controlar las dimensiones de una persona o cosa.
4 ....: desconfiar de una persona o de una cosa.

Gramática

Las preposiciones *a*, *de*, *en*

<table>
<tr><td rowspan="4">A</td><td>Introduce el objeto directo de persona.</td><td>Llama a Daniel para seguir el Camino.</td></tr>
<tr><td>Indica el movimiento hacia un lugar.</td><td>Yo voy a Sevilla.</td></tr>
<tr><td>Con el verbo “ir”, indica los planes futuros o intenciones.</td><td>Hoy vamos a salir antes al Camino.</td></tr>
<tr><td>Se usa para decir la hora.</td><td>Nos vamos a las seis de la mañana.</td></tr>
<tr><td rowspan="2">EN</td><td>Indica el lugar donde hacemos algo.</td><td>Esta noche dormimos en el albergue.</td></tr>
<tr><td>Indica el origen.</td><td>Sofía es de Barcelona.</td></tr>
<tr><td rowspan="2">DE</td><td>Indica la posesión.</td><td>La mochila es de Javier.</td></tr>
<tr><td>Cuando se dice la hora, indica una parte del día.</td><td>Son las tres de la tarde.</td></tr>
</table>

6 **Completa el texto con las preposiciones adecuadas.**

Dormir (**1**)............... el albergue (**2**)............... Santiago es precioso. Cuando llamamos (**3**)............... los organizadores para pedir lugar nos preguntan (**4**)............... qué hora llegamos y les decimos que (**5**)............... las tres (**6**)............... la tarde. Voy (**7**)............... decírselo (**8**)............... todos mis amigos.

Expresión oral

7 DELE **Habla durante 2 o 3 minutos sobre los horarios de las comidas en tu país y las costumbres de tu casa en este sentido.**

Los símbolos del Camino

Haciendo el Camino de Santiago se encuentran una serie de elementos que ya son símbolos de los peregrinos que emprenden el viaje.

La **concha** es la cubierta exterior de un molusco que se denomina popularmente vieira, que vive en las aguas profundas del litoral atlántico gallego, y por eso hay que llegar hasta ellas para cogerlo, demostrando así haber llegado más allá del final del Camino.

Según cuenta la leyenda, la barca en la que llega el apóstol Santiago desde Jerusalén trae conchas pegadas en el casco, y mucho antes de los cartagineses y los romanos ya las llevan cosidas en la ropa como protección. Además, tenemos noticias de que, ya en el siglo X, las conchas se venden a lo largo del Camino como símbolo y los peregrinos

La Credencial.

las llevan en el cuello, en el bastón o en el sombrero. Hoy en día, los peregrinos las llevan desde el principio de su peregrinaje.

También se llama "concha" cada una de las indicaciones, casi siempre amarillas, que señalan el camino. Se encuentran en el suelo de las calles de las ciudades por las que pasa el Camino, en pequeños monolitos, y en las paredes de las casas a lo largo del recorrido. Están dibujadas con unas líneas en forma de abanico o de sol en el ocaso.

El **báculo**, bordón o, simplemente, bastón del peregrino es otro símbolo jacobeo. El apóstol Santiago está representado llevando uno en forma de "tau" (t griega). Ya en la antigüedad, los peregrinos lo usan para defenderse de los peligros del camino, pero también como instrumento de orientación astronómica, porque en su parte horizontal lleva una serie de símbolos que se pueden interpretar solo dirigiéndolos hacia el cielo. Hoy en día, el bastón sirve sobre todo como apoyo en la dura caminata.

La **Credencial** es un documento obligatorio para poder demostrar que se hace el Camino: es una especie de carné que se puede adquirir en diferentes puntos del mismo (hospitales, parroquias, albergues, etc.) y, al final de cada etapa, debe ser sellado, con fecha y firma; en los últimos 100 km, esta operación se tiene que hacer dos veces. Cuando el caminante llega a Santiago debe enseñar la Credencial en la Oficina del Peregrino y, si los sellos están todos, puede considerarse hecho el Camino.

La **Compostela** es el documento que declara que una persona termina el Camino y ha presentado su Credencial para demostrarlo. Lleva el nombre del peregrino en latín y especifica el motivo por el que ha emprendido el Camino. Hay dos tipos de Compostela: una por razones espirituales y otra por motivos lúdicos, como el deporte o el interés cultural.

Comprensión lectora

1 Completa las siguientes frases con las palabras del cuadro.

conchas báculo Compostela Credencial

1 Solo puedes obtener la .... cuando llegas a Santiago, al final del Camino.
2 Actualmente, los que usan el .... lo hacen para tener un apoyo especialmente en los puntos más difíciles del Camino.
3 Hasta que no se alcanzan los últimos cien kilómetros, tienes que sellar la .... solo una vez al día.
4 El Camino se encuentra señalizado por .... de color amarillo que te indican por donde seguir.

CAPITULUM hujus Almae Apostolicae et Metropolitanae Ecclesiae Compostellanae sigilli Altaris Beati Jacobi Apostoli custos, ut omnibus Fidelibus et Peregrinis ex toto terrarum Orbe, devotionis affectu vel voti causa, ad limina Apostoli Nostri Hispaniarum Patroni ac Tutelaris **SANCTI JACOBI** *convenientibus, authenticas visitationis litteras expediat, omnibus et singulis praesentes inspecturis, notum facit:* DNUM MARCUM
hoc sacratissimum Templum pietatis causa devote visitasse. In quorum fidem praesentes litteras, sigillo ejusdem Sanctae Ecclesiae munitas, ei confero.

Datum Compostellae die 2 *mensis* MAII *anno Dni* 2012.

SIGILLUM ✶ CAPITULI ✶ BEATI ✶ JACOBI ✶ COMPOSTELLAE

Canonicus Deputatus pro Peregrinis

La Compostela.

Antes de leer

1 **A lo largo del capítulo aparecen estas palabras. Relaciona los nombres con las fotos.**

a escalinata

b plaza

c casco antiguo

d gaita

1 ☐

2 ☐

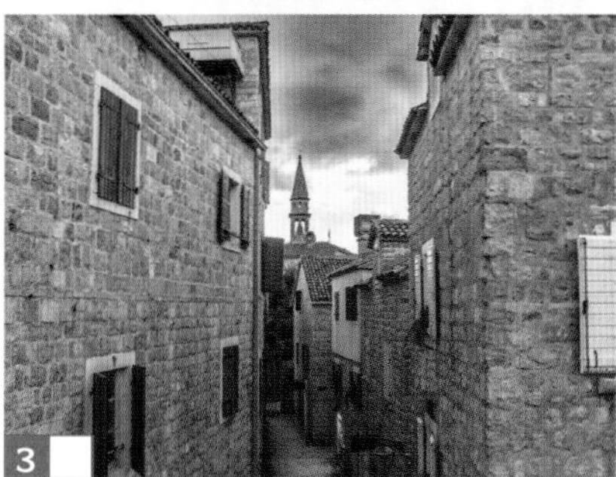

3 ☐

4 ☐

2 **Ahora completa las frases con las palabras del ejercicio anterior.**

1 La .... es un instrumento musical que se parece mucho a una flauta.

2 Mi casa no está en una calle, está en una .... muy grande.

3 En la entrada principal del parque hay una .... muy larga.

4 Antes de comer, visitamos el .... de la ciudad.

CAPÍTULO 7

Pedrouzo-Santiago de Compostela

Los chicos están muy felices esta mañana, pero sobre todo lo está Carolina: está deseando llegar a Santiago porque espera encontrar a Miguel en la oficina del peregrino. De lo contrario, va a llamar al *esplai* para pedir información sobre el monitor.

La salida es a las siete de la mañana, justo después del desayuno del peregrino que les ofrece el albergue. Con las mochilas a cuestas, los chicos salen de Pedrouzo para Santiago, por un lado con la alegría de llegar al final del camino, pero por otro con la tristeza de saber que "esto se acaba". Son los últimos veinte quilómetros del Camino; calculan unas cinco horas de recorrido para poder llegar a la misa del peregrino.

A las nueve de la mañana los chicos ya están a trece quilómetros de Santiago, cuando cogen la subida del alto de San Marcos.

Pedrouzo-Santiago de Compostela

El grupo camina compacto por el medio de la carretera sin tráfico; solo Daniel camina alejado y parece que quiere despistarles para perderse. Carolina le controla constantemente:

—¡Anda, Daniel, venga! ¡Quédate con el grupo que ya llegamos! —le grita la monitora en cuanto ve que el chaval[1] se separa.

Todos ven a Daniel más nervioso que de costumbre, y los chicos piensan que, después de todo, Daniel también siente pena porque esto se está terminando. En la recta que lleva hasta el Monte do Gozo, todos van más rápido para ver quién es el primero en llegar y ver desde lo alto del monte las torres de la catedral de Santiago.

Javier, que es el más experto, les lleva ventaja a todos; Miriam se lo toma con calma porque sabe que no puede alcanzarle, pero Sofía, de repente, empieza a correr sorprendiendo a todo el grupo. Este es su Camino y quiere ser ella la primera en llegar al famoso monte y empezar la bajada hasta Santiago. Javier oye que alguien camina muy cerca de él, ve que es Sofía y comprende cuáles son sus intenciones, así que la deja ganar. Sofía llega por fin al alto y empieza la bajada gritando:

—¡Sí, la catedral de Santiago, señores! ¡Sofía lo ha conseguido!

Todos empiezan a aplaudir contentos por el logro de la compañera. Pero todavía les queda un buen trecho[2] hasta llegar a Santiago. Llegan por fin al casco antiguo[3] de la ciudad, a la calle "Puerta do Camiño", último tramo hasta llegar a la plaza del Obradoiro.

Caminando por la rua de Intramuros se empiezan a escuchar las gaitas, y la emoción de los chicos crece por momentos. Llegan a uno de los pasadizos de entrada a la plaza y el cansancio no

1. **chaval**: joven.
2. **trecho**: espacio, distancia de lugar.
3. **casco antiguo**: parte más vieja y céntrica de una ciudad.

les impide levantar los brazos al aire, moviéndolos al son de las gaitas.

La plaza está llena de grupos de peregrinos que se abrazan emocionados. Carolina comprende la emoción de los chicos, pero no puede evitar pensar que Miguel no está allí con ellos para celebrar el logro.

—¡Venga chicos, rápido, vamos a la catedral! ¡Que va a empezar la misa del peregrino! —les anima Carolina.

Suben juntos la escalinata, pero como siempre, Daniel se queda atrás y no quiere entrar en la catedral. Esta vez, Carolina y el grupo no están dispuestos a transigir, así que vuelven atrás y rodean a Daniel cogiéndose todos por los hombros y formando, con las cabezas muy juntas, un círculo estrecho, en el centro del cual está Daniel. Quieren hacer partícipe al chico de la emoción que comparten todos. Pero, a medida que se va estrechando el círculo y se hace oscuro el espacio entre ellos, observan asombrados que Daniel se encoge poco a poco, sus ojos brillan cada vez más en la oscuridad y sus orejas crecen a los lados de su gorrita roja.

Pasan pocas décimas de segundo y los chicos no tienen tiempo de reaccionar ante lo que ven. La criatura del bosque, el trasno, aparece ante sus ojos para esfumarse y desaparecer ante sus miradas atónitas. Todos dan un salto hacia atrás asustados por la visión que acaban de tener: Daniel, el trasno, desaparece ante sus ojos.

De repente todo parece claro: las cosas desaparecidas, los accidentes... Nadie es capaz de decir una sola palabra. Carolina, asustada e incrédula ante la visión, ahora entiende la aparición extraña de aquel chico a las puertas del minibús el día de la salida. Pero... ¿dónde está Miguel? ¿Está relacionada su desaparición con la existencia del trasno?

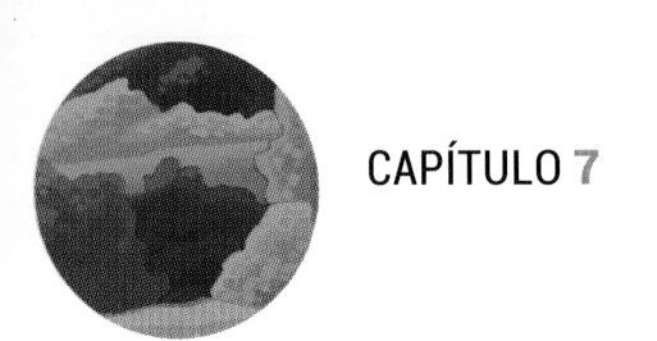

CAPÍTULO 7

—¡Vamos chicos! —les dice Carolina desconcertada—. Tenemos que entrar en la catedral.

Los chicos están atónitos, pero obedecen a su monitora y lentamente suben las escaleras para entrar. A misa comenzada pueden ver el famoso botafumeiro[4] en acción. Es espectacular verlo ir de una parte a otra de la catedral desprendiendo una gran cantidad de incienso. Todos siguen con sus miradas el recorrido del enorme objeto cuando Carolina reconoce a Miguel entre los grupos de personas. Por unos momentos piensa que la imaginación la está traicionando, y que el humo del incienso le hace ver lo que no hay, pero Miguel levanta la mano para saludar y empieza a abrirse camino entre la gente para llegar hasta donde está el grupo y abrazarles a todos.

Ya a la salida, Carolina y los chicos le explican a Miguel los extraños episodios sucedidos durante su ausencia y la reciente desaparición de Daniel ante sus ojos.

—¿Entiendes, Miguel? —le dice Carolina—. Daniel era un trasno de bosque, de esos de los que hablan las leyendas gallegas. ¿Te lo puedes creer?

Miguel le explica a Carolina que ha estado perdido durante dos días por el bosque, después de haber entrado a buscar a los chicos aquella tarde de camino a Palas de Rei. Entrando en el bosque, Miguel vio a los chicos, pero Daniel se le acercó para empezar a correr delante de él y Miguel le siguió para detenerle. Después de dos minutos de carrera, Daniel desapareció en el bosque y él se quedó perdido sin saber cómo salir de allí, hasta que después de dos días salió al Camino y cogió un autobús en la primera aldea que encontró para poder llegar a Santiago, donde estaba seguro de que iba a encontrar ya al grupo.

---

4. **botafumeiro**: gran incensario de la catedral de Santiago.

—Creo que ninguno de nosotros va a poder olvidar esta aventura —dice Javier.

—Creo que ninguno de nosotros va a poder decir a partir de ahora que los duendes no existen —añade Sofía—. Era tan real como nosotros.

—¡Pero extraño! —dice Miriam—. ¡Muy extraño!

Los chicos con sus monitores se acercan a la oficina del peregrino para obtener la Compostela. A cada uno de ellos se les pregunta el motivo por el que han hecho el Camino. Cuando llega el turno de Sofía, esta le dice a la señora que le está preparando el documento.

—Pues mire, mi madre me ha obligado a venir, así que ese es el motivo del principio de mi Camino. Pero es que luego el Camino te atrapa y se convierte en una aventura en la que aprendes a no juzgar a las personas simplemente por las apariencias, y a abrirte a la amistad que los demás te quieren dar. Sé que ahora soy más fuerte. Sé que el Camino te habla con su mágico lenguaje y al final eres otra persona.

—Ponga 'motivos espirituales' —le dice Javier con tono irónico pero divertido a la señora.

Javier abraza fuerte a Sofía, luego se separa de ella sin dejar de mirarla emocionado, le acaricia la mejilla y la besa.

Después de leer

Comprensión lectora

1 Marca con una ✗ si las siguientes afirmaciones son verdaderas (V) o falsas (F).

		V	F
1	Al empezar el Camino, Daniel intenta apartarse del grupo.	☐	☐
2	Para el grupo es importante llegar el primero a Santiago.	☐	☐
3	Sofía adelanta a Javier antes de llegar al Monte del Gozo.	☐	☐
4	Sofía es la última en llegar al Monte del Gozo.	☐	☐
5	Por fin se descubre quién era el trasno.	☐	☐
6	Encuentran a Miguel en la catedral.	☐	☐

2 Relaciona los elementos para formar frases.

1 ☐ Carolina se da cuenta de que...
2 ☐ Javier no se enfada porque...
3 ☐ El grupo entra en Santiago...
4 ☐ Al sentir las gaitas...
5 ☐ El botafumeiro...
6 ☐ El Camino...

a Sofía llega la primera al Monte do Gozo.
b los chicos se ponen muy contentos.
c Daniel no está integrado en el grupo.
d llena de incienso la catedral.
e por la parte antigua.
f ha cambiado a Sofía.

Léxico

3 ¿Qué significa...? Elige la opción correcta.

1 Misa:

a ☐ tabla de madera que sirve para comer.
b ☐ función religiosa.

2 Monte:

a ☐ mundo.
b ☐ sinónimo de montaña.

3 Pasadizo:

a ☐ cuando alguien pasa de algo y no le da importancia.
b ☐ lugar por el que se pasa.

Gramática

El artículo

	Definido		Indefinido	
	Singular	**Plural**	**Singular**	**Plural**
Masculino	el	los	un	unos
Femenino	la	las	una	unas

El **artículo definido:**

No aparece nunca delante de demostrativos o posesivos.
Generalmente no acompaña a los nombres propios.
Acompaña al verbo *estar*, cuando indica existencia.

***Los** chicos han llegado a Santiago.*

El **artículo indefinido:**

No acompaña nunca a demostrativos, numerales e indefinidos.
Acompaña a la partícula *hay*, cuando indica existencia.

Formas contractas

a + el	**al**
de + el	**del**

4 Completa con el artículo correspondiente.

1 .... pueblo por el que estamos cruzando tiene .... iglesia preciosa.
2 .... llaves no están en el albergue. Hay .... llaves en el bar del pueblo.
3 Cuando calientas .... agua .... cocido, tienes que tapar .... olla.
4 Tienes que ir .... bar para poder comer algo.
5 En el camino hay .... señal que indica .... dirección.

Rincón de cultura

Los caminos a Santiago

Desde la Antigüedad existen diferentes caminos que conducen a Santiago, como el Camino del norte, que empieza en Irún (País Vasco) y va por la costa atlántica. Ya desde el siglo IX, este Camino es muy utilizado porque es el que se aleja más de la línea de frontera entre el mundo cristiano y musulmán y, por tanto, es el más seguro hasta que la frontera se traslada más al sur. Entonces surge el Camino francés, del que se habla ya en el Códice Calixtino, la primera guía del Camino de Santiago del siglo XII. Este empieza en San-Jean-Pied-de-Port y en él confluyen casi todos los otros caminos, como el Camino aragonés o el Camino de la Plata, que empieza en Sevilla. En su origen este era una calzada romana que salía de Emérita Augusta (Mérida) hacia Granja de Moreruela, donde se enlaza con el Camino sanabrés que sigue hasta Astorga y de ahí al Camino francés, padre de los Caminos.

Otros caminos van surgiendo como novedad y otros se rehabilitan, como el Camino inglés, muy popular en los siglos XI y XII, luego abandonado y recuperado en 1991. Sale de A Coruña o de Ferrol.

Ahora contesta a la siguiente pregunta.

1 ¿En tu país hay una ruta turística o de peregrinación? Escribe su nombre, desde dónde empieza y en dónde termina y dibuja un mapa sencillo en tu cuaderno indicando los lugares por los que pasa.

Footprints, el camino de tu vida

Año: 2016
Duración: 89 min.
País: España
Director: Juan Manuel Cotelo
Género: documental

Un grupo de jóvenes viaja desde el desierto de Arizona hasta España para realizar la peregrinación, después de haber respondido a un anuncio que empezaba diciendo: "Se buscan personas dispuestas a caminar 1.000 km durante 40 días. No se ofrecen garantías de llegar al destino, pero sí se prometen jornadas de sufrimiento intenso, con frío y calor en proporciones iguales" y terminaba preguntando "¿Quién se apunta?"
El realizador valenciano Juan Manuel Cotelo sigue, a través de la narración, la experiencia emocional y física de este grupo a lo largo del viaje, capaz de transformarles para siempre.
En todo el recorrido, el grupo de jóvenes avanza en las sensaciones de sufrimiento, superación, contemplación, alegría, amistad, belleza, reflexión espiritual...

1 ***Contesta a las siguientes preguntas.***

1. ¿Cómo se buscaron los actores para este documental?
2. ¿Qué quería realizar el director de la película?
3. En tu opinión, ¿por qué el Camino es una experiencia emocional?

Comprensión lectora

1 **Ordena las siguientes imágenes según el orden cronológico de la historia.**

2 **Ahora relaciona las siguientes palabras con las imágenes del ejercicio anterior.**

1 ☐ levantarse
2 ☐ presentarse
3 ☐ transformación
4 ☐ el Camino

3 **¿A quién le pasan estas cosas en el relato?**

		A Javier	B Sofía	C Daniel
1	El Camino cambia su vida.			
2	Se burlan de él.			
3	El trasno le hace dormir en el bosque.			
4	Le roban la cantimplora.			
5	Se transforma.			
6	Se hace nuevas amigas.			

4 **Marca con una X si las siguientes afirmaciones son verdaderas (V) o falsas (F). Luego, corrige en tu cuaderno las falsas.**

		V	F
1	Javier y Sofía se conocen desde pequeños.	☐	☐
2	Sofía se compra una mochila para hacer el Camino.	☐	☐
3	El grupo del *esplai* viaja en autobús hasta Sarria.	☐	☐
4	Los chicos duermen todas las noches en el albergue.	☐	☐
5	Sofía se hace amiga de Miriam.	☐	☐
6	Al principio, Daniel es muy simpático con Sofía.	☐	☐
7	Javier odia a Daniel.	☐	☐
8	Daniel no es un chico.	☐	☐
9	Miguel desaparece para siempre.	☐	☐

Léxico

5 **¿Recuerdas qué significan estas palabras? Elige la opción correcta.**

1 La gaita es...
- a ☐ un animal doméstico típico de Galicia.
- b ☐ un instrumento musical de viento.

2 El gamberro es...
- a ☐ una planta comestible para hacer ensaladas.
- b ☐ una persona que suele comportarse mal.

3 La llovizna es...
- a ☐ una lluvia muy fina.
- b ☐ una bebida típica del norte de España.

4 “Acampar” significa...
- a ☐ dormir en tienda.
- b ☐ preparar el campo para sembrarlo.

5 La expresión “tomar el pelo” significa...
- a ☐ tirar fuerte del pelo de otra persona.
- b ☐ reírse de alguien.

6 "Bromear" significa...

a ☐ no decir las cosas en serio.

b ☐ llenarse el cielo de nubes bajas que provocan lluvia.

7 "Aburrirse" significa...

a ☐ no divertirse en una determinada situación.

b ☐ poner al burro en su lugar.

8 El quiosco es...

a ☐ un libro de firmas presente en los albergues.

b ☐ un pequeño comercio donde se venden revistas.

6 Agrupa las siguientes palabras con los campos léxicos que te proponemos.

habitaciones ***cruceiro*** **Monte do Gozo** **restaurante**
cocina **tienda** **lavaderos** **concha**

Palabras relacionadas con el camping	Palabras relacionadas con el albergue	Palabras relacionadas con el Camino

7 Completa las frases con las palabras del cuadro.

aturdidos **empeorar** **despedirse** **panizo**

1 Para poder dormir tranquilos sin que un *trasno* te moleste, tienes que poner un recipiente con más de diez granos de ....

2 La situación empieza a .... en el momento en el que el grupo se acerca a Santiago.

3 Los chicos están ...., desconcertados cuando descubren quién era en realidad Daniel.

4 Cuando llega la hora de .... todos están muy tristes.

Gramática

8 Completa con los artículos y demostrativos adecuados las siguientes frases. Las palabras entre paréntesis te ayudan a elegir el demostrativo correcto.

1 .... ciudad de Sofía es Barcelona. .... (*aquí*) ciudad, es .... más conocida de España en el mundo.
2 .... albergues son .... manera muy económica de dormir en el Camino.
3 .... (*allí*) torres que se ven a lo lejos desde .... Monte do Gozo, son .... torres de .... catedral de Santiago.
4 .... sistema escolar español tiene en cuenta .... edad de los estudiantes.
5 .... Galicia mágica está relacionada con .... cultura celta.
6 En .... (*ahí*) bosques gallegos pueden suceder cosas misteriosas.

9 Completa las frases con los posesivos adecuados.

1 .... (*de ellos*) problema es que suceden muchas cosas extrañas durante el Camino.
2 Sofía lleva .... (*de ella*) mochila en la espalada cuando tiene el accidente.
3 .... (*de nosotros*) linternas desaparecen durante el Camino.
4 .... (*de ti*) cantimplora es de color verde y .... (*de mí*) linterna es azul.
5 .... (*de él*) orejas son grandes y .... (*de él*) nariz alargada.
6 .... (*de ella*) botas están rotas. Necesita ponerse las zapatillas.

Esta lectura graduada utiliza un enfoque de lectura expansiva donde el texto se convierte en una plataforma para mejorar la competencia lingüística y explorar el trasfondo histórico, las conexiones culturales y otros tópicos que aparecen en el texto.
Abajo encontrarás una lista con las nuevas estructuras introducidas en este nivel de nuestra serie **Leer y aprender**. Naturalmente, también se incluyen las estructuras de niveles inferiores. Para consultar una lista completa de estructuras de los cinco niveles, visita nuestra página web, *blackcat-cideb.com*.

Nivel Primero A1

Los artículos indeterminados y determinados
Los adjectivos calificativos, posesivos, demostrativos
Los pronombres posesivos, demostrativos
Los pronombres y el complemento directo e indirecto
Ser, estar, tener
El presente de indicativo

Nivel Primero

Si te gustó esta lectura, prueba también...

- *En busca de Boby* de Juan de Nirón Montes
- *El Zorro* de Johnston McCulley

Nivel Segundo

...o intenta avanzar más.

- *Recetas peligrosas* de Cristina Alegre Palazón
- *Amaia se conecta* de Juan de Nirón Montes
- *La cajita de hueso* de Clotilde de Toledo